D1066943

À Alexis
et son oncle Zeorzes

Cet ouvrage a été publié avec le soutien
du Conseil des Arts du Canada

Dépôt légal – 3e trimestre 1990
Bibliothèque nationale du Québec
Bibliothèque nationale du Canada

C.P. 300
Succ. Laflèche
St-Hubert (Qc)
J4T 3J2

Imprimé au Canada

LA SOUPE AUX SOUS

Texte:
Geneviève Lemieux

Illustrations:
Pierre Berthiaume

Les éditions du Raton Laveur

À première vue, Zoé a l'air d'une petite fille tout à fait ordinaire. Mais, à l'entendre, il lui arrive des histoires vraiment étonnantes. C'est que Zoé a un petit problème: sa langue lui joue parfois de drôles de tours. Vous allez voir...

Zoé va à la garderie tous les après-midi. Les jours où il pleut, les enfants restent bien assis sur leur **seize** pour écouter les histoires que raconte la monitrice.

Quand il fait beau, Zoé va s'amuser au parc avec ses amis. Ensemble, ils jouent à la **cassette** et rient très fort.

Un jour, Zoé est allée observer une **Russe**. Elle a aimé goûter au miel doré. Mais ce qui l'a fascinée, c'étaient les abeilles qui entraient et sortaient de la **Russe** à toute vitesse.

Chaque soir, Zoé espère qu'il y aura de la soupe aux **sous** pour le souper. C'est son menu préféré. Quand il y en a, Zoé en prend toujours deux fois.

Mais la spécialité du papa de Zoé, c'est le poulet. Ça sent bon dans toute la maison quand il prépare son fameux poulet à la **brosse**.

Les soirs d'hiver, Zoé aime bien se retrouver devant un feu de bois. Quand maman lui donne la permission, elle peut rajouter elle-même les **bus** dans le foyer.

En fouillant dans un vieux coffre, Zoé a trouvé de quoi se déguiser en grande dame. Regardez-la avec sa robe de bal, son grand chapeau et tous les **bizous** qu'elle a dans le cou.

Quand elle n'a rien d'autre à faire, Zoé ouvre la télévision. Elle aime bien les dessins animés. Mais ce qui l'amuse le plus, ce sont les concours de **sang**.

Aujourd'hui, Zoé était très fâchée. Savez-vous ce qu'elle a reçu en cadeau pour son anniversaire? Non... Pas des dominos, pas un casse-tête, pas une boîte de Lego...
«Mais chérie, lui a dit Tante Irma, c'est toi qui m'as demandé des **œufs** !»

BON
ANNIVERSAIRE

Pour l'enfant qui, comme Zoé, zézaie...

- Avant 5 ans, si c'est sa seule difficulté de langage, il n'y a pas à s'inquiéter. Insistez simplement sur votre prononciation correcte du mot.

- Entre 5 et 7 ans, le zézaiement devrait disparaître graduellement. Si l'enfant ne semble pas faire de progrès, un petit coup de pouce en orthophonie peut s'avérer utile.

- À partir de 7 ans, une consultation en orthophonie est fortement recommandée.

Geneviève Lemieux, M.O.A.
Orthophoniste